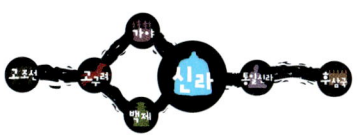

박혁거세
신라를 세우다

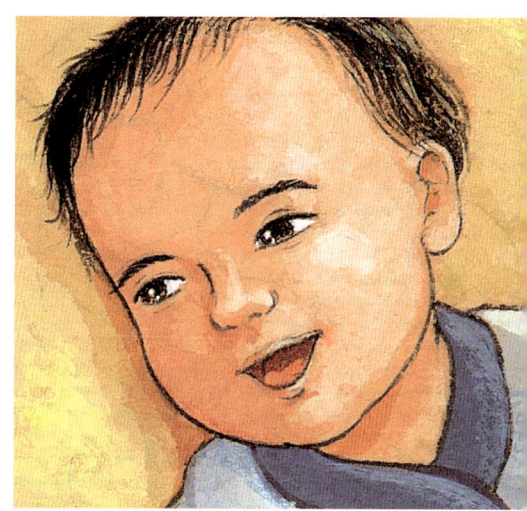

원작 일연 **글** 구들 **그림** 최은경 **감수** 최광식

옛날, 한반도 진한* 지역에 여섯 마을이 있었어요.

땅이 기름지고 울창한 숲이 있고 맑은 시내가 흐르는 살기 좋은 곳이었지요.

여섯 마을에는 각각 마을을 대표하는 촌장*이 있었어요.

알천 양산촌 촌장의 이름은 '알평'으로, 오늘날 '이'씨의 조상이 된 사람이에요.

돌산 고허촌 촌장 '소벌도리'는 '최'씨의 조상이고,

무산 대수촌 촌장 '구례마'는 '손'씨의 조상, 자산 진지촌 촌장 '지백호'는 '정'씨의 조상,

금산 가리촌 촌장 '지타'는 '배'씨의 조상,

명활산 고야촌 촌장 '호진'은 '설'씨의 조상이에요.

여섯 촌장은 사이가 무척 좋아 무슨 일이든지 서로 의논해서 처리했지요.

여섯 마을이 살기 좋다는 소문이 나자 여기저기서 사람들이 몰려왔어요.

*진한 : 한반도 동쪽 지역으로 마한, 변한과 함께 삼한의 하나
*촌장 : 마을 일을 두루 맡아 보던 마을의 어른

그런데 말씨나 풍습이 다른 사람들이 함께
살다 보니 이런저런 오해와 다툼이 생기고,
마을끼리도 자주 싸우게 되었지요.
생각다 못 한 촌장들은 각기 아들들을 데리고
알천 옆에 있는 큰 언덕에 모여 회의를 했어요.
"요즘 사람들이 자주 싸우고 모두 제멋대로이니
참으로 걱정이오."
"그러게 말입니다.
이대로 가다가는 정말 큰일나겠어요."
"매일 싸움이 그치지 않으니
불안해서 살 수가 없습니다."
이때 지백호 촌장이 벌떡 일어나 말했어요.
"제 생각에는 우리가 이렇게 여섯 마을로 나누어져
있어서 싸움이 더 자주 일어나는 것 같습니다.
그러니까 여섯 마을을 하나로 묶어 나라를 만들고,
나라를 다스릴 만한 훌륭한 임금을 구해야 합니다."

지백호 촌장의 말에 다른 촌장들도 고개를 끄덕였어요.
"지백호 촌장의 말씀이 옳소.
그렇다면 우선 임금을 모실 만한 도읍을 정합시다.
그런 다음, 뛰어난 사람을 찾아 임금으로 모십시다."
촌장들은 자신이 생각하는 좋은 장소를 이야기하면서 여기저기 둘러보았지요.
한참을 찾아 헤매던 촌장들이 잠시 나무 그늘에서 숨을 돌리고 있을 때였어요.
알평 촌장이 벌떡 일어나서 외쳤어요.
"여러분! 저것 좀 보십시오! 저게 무엇입니까?"
모두들 알평 촌장이 가리키는 곳을 본 순간 입을 떡 벌렸어요.
울창한 숲 저편 하늘 위로 오색찬란한 무지개가 걸려 있고,
찬란한 빛이 비치고 있었지요.
"칠십 평생을 살면서 저렇게 아름다운 광경은 처음이오."
가장 나이가 많은 소벌도리 촌장이 수염을 쓰다듬으며 탄성을 질렀어요.
"저곳으로 한번 가 봅시다.
아무래도 하늘이 우리에게 무엇인가 알려 주려나 봅니다."
성미 급한 지타 촌장은 말이 끝나기가 무섭게 뛰기 시작했어요.
다른 촌장들도 무지개를 쫓아 뛰어갔지요.

촌장들이 숲길을 한참 뛰어서 닿은 곳은 양산 마을에 있는
'나정'이라는 우물가였어요.
촌장들은 그곳에서 놀라운 광경을 보았어요.

히히힝!

눈처럼 하얀 말 한 마리가 숲 주위를 서성거리며 울고 있었지요.

그리고 말 앞에는 커다란 자주색 알이 하나 놓여 있었어요.

"아니, 이게 무슨 알이지요?"

"손대지 마시오.
위험한 물건일지도 모르지 않소?"

그때였어요.
하얀 말은 길게 울음소리를 내더니 하늘로 껑충 뛰어올랐어요.
그러더니 하늘에서 내려온 빛을 따라 올라갔지요.
말이 있던 자리와 알 주변에서는 은은한 향기가 풍겨 왔어요.
촌장들은 놀라운 광경에 잠시 할 말을 잃었어요.
소벌도리 촌장이 침착하게 다가가 알을 쓰다듬더니 웃으며 말했어요.
"아무래도 아까 그 말은 하늘의 심부름꾼 같소.
그리고 이 알은 하늘이 우리에게 준 선물임에 틀림없소."
다른 촌장들도 고개를 끄덕이며 크게 기뻐했어요.

9

촌장들은 조심스럽게 알 주위에 둘러섰어요.
그러나 알을 어떻게 해야 할지 알 수가 없었지요.
바로 그때였어요.
저 멀리서 커다란 천둥이 울리더니 하늘에 떠 있던
커다란 오색 무지개가 빙그르르 한 바퀴를 돌아
거꾸로 걸리는 것이 아니겠어요!

쿠르릉!
쿵! 쿵! 쿵!
무지개는 요란한 소리를 울리면서 다가왔어요.
"아이고, 사람 살려!"
촌장들은 깜짝 놀라서 이리저리 흩어졌지요.
촌장들은 우물 뒤에, 바위 뒤에, 또 나무 뒤에 숨어서
숨을 죽인 채 무지개를 지켜보았어요.

무지개는 요란한 소리를 내며
알을 향해 곧장 다가가더니
알을 박살낼 듯이 그대로 덮쳤어요.
그러자 알이 쫙 갈라지는 게
아니겠어요!
"아니, 이럴 수가!"
알 속에는 아주 건강한 사내아이가
들어 있었어요.
무지개의 오색 빛은
하나로 섞이더니 금가루처럼
아이의 몸에 쏟아져 내렸어요.
아이의 몸은 밝게 빛났답니다.

촌장들은 아이를 안고 가
맑은 물에 씻겼어요.
아이의 몸에 묻어 있던 금가루가
강물에 씻겨 나가자
강은 점점 금빛으로 물들어 갔지요.
"아, 우리가 기도한 보람이 있어요."
"맞습니다.
하늘이 내려 주신 아이가 틀림없어요."
어느새 숲 속 짐승들과
하늘을 나는 새, 작은 벌레들까지
몰려와 주위를 돌며 춤을 추었어요.
하늘에는 환한 대낮인데도
달이 높이 떠 해와 함께 밝게
빛나고 있었답니다.

소벌도리 촌장은 기뻐하며 아이를 높이 쳐들었어요.
촌장들은 하늘이 임금을 내려 주셨다며
몹시 기뻐했어요.
그때 호진 촌장이 말했어요.
"잠깐만! 아이 이름을 먼저 지어야 하지 않겠소?"
모두 고개를 끄덕거리며 좋은 이름을 생각했어요.
그러자 알평 촌장이 말했어요.
"아이 몸에서 빛이 났으니 세상을 밝게 다스린다는
뜻으로 '혁거세'라고 부르면 어떨까요?"
촌장들은 참 좋은 이름이라며 박수를 쳤어요.
그러자 구례마 촌장이 고개를 갸웃거리며 말했어요.
"성도 있어야 하지 않겠소? 그런데 성을 어떻게 짓지?"
"우리 중 누군가의 성을 따르는 것은 불공평합니다."
"그렇습니다. 새로운 성을 지읍시다."
그러자 소벌도리 촌장이 말했어요.
"박처럼 둥근 알에서 태어났으니
'박'으로 하면 어떨까요?"
그리하여 아이의 이름은 '박혁거세'가 되었어요.

박혁거세는 여섯 촌장과 진한 사람들의 사랑 속에서 무럭무럭 자랐어요.

그러던 어느 날, '사량리'라는 마을에서 소동이 일어났어요.

사량리에는 '알영'이라는 깊고 맑은 우물이 있었는데,

우물가로 커다란 용 한 마리가 날아와 며칠째 우는 것이었어요.

끄윽, 크으윽!

휘리리릭! 키이요오!

닭 머리를 한 용은 주위가 울리도록 큰 소리로 울었어요.

마을 사람들은 기겁을 하며 촌장들에게 달려왔어요.

촌장들은 모두 헐레벌떡 알영으로 달려갔지요.

"이럴 수가! 혹시 진한이 망하려고 이러는 걸까요?"

지타 촌장이 겁먹은 목소리로 말하자 소벌도리 촌장이 고개를 저으며 말했어요.

"아니오, 비록 닭의 머리를 하고 있지만 저것은 분명히 용이오.

용은 예로부터 아주 귀하고 신기한 동물이라오.

그러니 이것은 경사가 일어날 징조요."

그때였어요.

크아아악!

소리를 지르던 용이 갑자기 입에서 불길을 토해 내더니
우물에 무엇인가를 떨어뜨리고 하늘로 사라져 버렸어요.

"이크! 도대체 뭘 떨어뜨리고 간 거지?"

촌장들은 우루루 우물로 달려가 그 안을 들여다보았지요.
우물 안에는 뽀얀 피부를 가진 여자 아이가 맑은 물속에서
물장구를 치며 놀고 있었어요.

촌장들은 물고기처럼 능숙하게 헤엄을 치다가
머리를 물 밖으로 내미는 아이를 신기하게 바라보았지요.

지타 촌장이 우물 속에서 아이를 건져 나왔어요.

"아니, 그런데 아이 입이 왜 이렇지?"

촌장들은 아이 입을 보고 다시 한 번 놀랐어요.
입술 대신 닭의 부리가 달려 있었거든요.

"어째서 입술이 닭의 부리처럼 생겼을까?"

"맞아요. 아주 예쁜 아이인데,
저 부리 때문에 영 거슬리는군요."

"어떻게 하면 떼어 낼 수 있는지 어디 봅시다. 아얏!"
지백호 촌장이 부리를 자세히 살피려다 그만 코를 깨물렸어요.
호진 촌장은 손가락을 물렸지요.
"누가 저 흉한 부리를 없앨 수 있을까요?"
모두가 궁리를 해 보았지만 뾰족한 수가 없었지요.
이때, 소벌도리 촌장이 사람들을 둘러보며 말했어요.
"요즘 들어 이상한 일이 계속 일어나는군.
지난번에는 하늘에서 내려온 흰 말이 임금이 될 아이를 주지 않았소?
이제 또 용이 아이를 주었으니……,
아무래도 두 일 사이에는 어떤 깊은 관계가 있는 것 같소."

이 말을 듣자 다른 촌장들도 고개를 끄덕였지요.
소벌도리 촌장이 말했어요.
"이 여자 아이를 우리 임금이 되실 분께 데려갑시다.
그럼 문제를 풀 수 있는 방법이 나올 것 같습니다."
"어떤 방법 말인가요?"
"그건 모르겠소. 하지만 그런 예감이 듭니다."

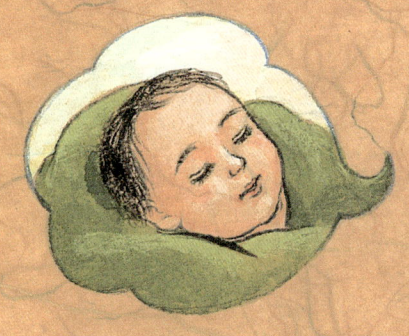

촌장들은 여자 아이를 품에 안고 박혁거세가 있는 곳으로 갔어요.
그런데 신기한 일이 벌어졌어요.
아이의 입술에 달려 있던 보기 흉한 닭의 부리는 온데간데없고
앵두처럼 새빨간 입술로 바뀌어 있었거든요.
아이는 예쁜 입술로 방긋이 웃고 있었지요.
"혁거세왕과 이 아이가 과연 인연은 인연인가 보오."
두 아이는 서로를 바라보더니 방글방글 웃으며 반가워했어요.
두 아이가 나란히 누워 손을 잡고 노는 모습은 참 사랑스러웠지요.
"보시오. 두 아이는 하늘이 정해 준 배필이 틀림없소."
촌장들은 박혁거세의 짝이 될 어여쁜 왕비를 찾았다고 매우 기뻐했어요.

"임금의 이름은 혁거세로 정했는데,
왕비가 될 아이의 이름은 뭐라고 부르지요?"
호진 촌장이 말을 꺼냈어요.
"뭐 좋은 이름 없을까?"
그러자 아이를 우물에서 안고 나온
지타 촌장이 말했어요.

"알영이 어떨까요?
알영은 진한에서 가장 맑은 우물이잖아요.
우리 왕비님이 그 우물물처럼 맑고 깨끗하게
자라나셨으면 좋겠어요."
지타 촌장의 말에 나머지 촌장들은 박수를 치며 기뻐했어요.
"그래, 알영! 좋은 이름이군요."
"허허허, 박에서 나온 박혁거세 임금님,
우물에서 나온 알영 왕비님이라.
정말 잘 어울리지 않습니까?"

왕이 될 아이에 이어 왕비가 될 아이까지 나타나자
마을 사람들은 몹시 기뻐하며 잔치를 열었어요.
농사가 잘되는 알평 촌장의 마을 사람들은 향기로운 과일을 가져오고,
구례마 촌장의 마을 사람들은 맛있는 고기를 가져왔어요.
손재주가 뛰어난 호진 촌장의 마을 사람들은 아침부터 뚝딱뚝딱 천막을 세웠고,
지백호 촌장의 마을 사람들은 모닥불을 피울 땔감을 가득 해 왔지요.
소벌도리 촌장의 마을 사람들은 박혁거세와 알영에게 입힐 예쁜 옷들을
지어 왔고 지타 촌장의 마을 사람들은 음악을 연주했어요.
걸핏하면 티격태격 싸우던 여섯 마을의 주민들은 혁거세와 알영을
번갈아 안아 보며 서로 기쁨을 나누었어요.
"허허허, 우리 임금님과 왕비님은 아직 어린데도 벌써 사람들을 하나로 모으기 시작했구려."
"이제 모두가 평화롭게 살 수 있겠군요."
잔치는 밤새도록 계속되었고 여섯 마을 사람들 모두가 한 식구처럼 가까워졌어요.

사람들은 힘을 합쳐 박혁거세와 알영이 살 궁궐을 지었어요.

사람들의 사랑과 관심으로 두 아이는 무럭무럭 자랐지요.

세월이 흘러 두 아이가 열세 살이 되었을 때,

박혁거세는 왕이 되고 알영은 왕비가 되었어요.

박혁거세는 왕이 되어 여섯 마을을 한 나라로 통일했지요.

그리고 나라 이름을 '서라벌'*이라고 지었어요.

'서라벌'은 '계림국'이라고도 불렸어요.

계림국은 '닭을 닮은 용이 왕비를 주고 간 나라'라는 뜻이지요.

박혁거세왕과 알영 왕비는 백성을 사랑하고 나라를 잘 다스렸어요.

그러자 여러 지역에서 많은 사람들이 모여들었어요.

서라벌은 더욱 큰 나라가 되었지요.

박혁거세왕과 알영 왕비가 죽은 뒤에, 서라벌은

나라 이름을 '신라'로 바꾸고 더욱 크고 강한 나라로 발전했답니다.

* 서라벌 : 신라의 옛 이름

알에서 태어나 신라를 세운

박혁거세

알에서 태어난 박혁거세는 진한을 통일하여 신라의 시조가 되었어요

옛날, 우리나라 남쪽 땅에는 '진한'이라는 지역이 있었습니다. 진한은 나라가 아니라 작은 지역에 불과했습니다. 나라에는 한 사람의 지도자가 있어야 하는데, 진한은 그렇지 못했거든요. 그래서 다툼이나 갈등이 생기면 문제를 해결하기가 어려웠지요.

이런 상황에서 박혁거세가 나타났습니다. 알에서 태어난 박혁거세는 진한 지역을 통일하고 나라 이름을 '서라벌'이라고 지었습니다. 서라벌은 나중에 신라가 됩니다.

지금까지는 박혁거세가 말을 잘 타던 북방의 기마 민족으로 생각하는 것이 주된 의견입니다. 박혁거세는 한반도에 새로운 문물을 가져다준 세력의 한 사람으로서 신라의 시조가 되었다는 것이지요.

이것은 고구려나 백제와는 다른 독특한 신라의 문화를 통해서도 입증되고 있습니다. 특히 알에서 영웅이 태어나는 이야기가 몽고, 알타이, 스키타이족의 신화에도 많다는 사실이 이런 주장을 뒷받침해 주고 있답니다.

기원전 57년	기원전 53년	기원전 37년	기원전 32년	512년	532년
박혁거세 신라 건국	알영 나타남	금성 쌓음	금성에 궁궐 지음	우산국 정복	금관가야 정복

박혁거세와 관련 있는 ## 인물들

알영 : 박혁거세의 부인

'아리영, 아이영, 아영'이라고도 부릅니다.
알영 우물가에 나타난 용의 옆구리에서 태어났다고 하는데,
우물 이름을 따서 이름을 '알영'이라고 지었습니다.
외모도 아름답고, 인품이 뛰어나 박혁거세의 왕비가 되었습니다.

소벌도리 : 진한 지역 촌장

옛날 진한에 있던 여섯 마을에서는 각각 촌장을 뽑았으며,
소벌도리는 그 중 돌산(지금의 경주 남산) 기슭 '고허촌'의 촌장입니다.
《삼국사기》에는 박혁거세를 발견한 사람이 소벌도리이며,
박혁거세가 열 살이 될 때까지 키웠다고 합니다.

알고 싶은 **요모조모**

알영과 아리랑

'아리랑'은 우리 민족을 대표하는 노래일 뿐 아니라 세계에 널리 알려진 노래입니다. '아리랑'이라는 말이 어디서 왔는지에 대해서는 여러 가지 주장이 있는데 '알영'과 관련이 있다는 설도 있습니다. 왕비가 된 알영이 백성을 사랑하며 잘 보살펴서 백성들이 '알영, 알영, 우리 알영님' 하고 노래를 부르기 시작했고, '알영'이 '아리영' 또는 '아리령'으로 변해서 나중에 '아리랑'이 됐다는 거예요.

660년	668년	676년	751년	828년	888년	935년
백제 정복	고구려 정복	삼국 통일 통일 신라 시대 시작	불국사 창건	청해진 설치	향가집 《삼대목》 편찬	신라 멸망

궁금증을 풀어 주는 미로여행

Q1 정말 백마가 알을 가지고 왔을까요?

Q2 박혁거세와 알영은 어떤 일을 했나요?

Q3 닭의 머리를 가진 용이 정말 있었을까요?

Q4 혁거세는 무슨 뜻인가요?

Q5 박혁거세 설화 말고 알에서 영웅이 태어나는 설화가 또 있나요?

용은 예로부터 신성한 존재, 혹은 왕을 의미해요. 용이 닭의 머리를 하고 있었다는 것은 닭을 신성하게 여기는 부족이 있었다는 것을 보여 줍니다. 경주 김씨 세력이 닭을 신성하게 모셨다는 기록이 있는 것으로 보아 닭의 머리를 가진 용이 **경주김씨**를 상징한다는 설도 있어요.

박혁거세와 알영은 나라 이름을 '서라벌'로 짓고 전국을 여섯 개의 '부'로 나누었어요. 그리고 이 **여섯 부**를 돌아다니며 농사짓는 법과 누에치는 법을 가르쳤지요. 백성은 두 사람을 몹시 존경했다고 해요.

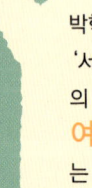

'혁거세'가 그리스 신화에 나오는 '헤라클레스'와 어원이 같다는 주장이 있어요. 헤라클레스는 '위대한 태양신'이라는 뜻인데, 혁거세를 다르게 부르는 말 **'불구내'**가 태양의 아들이라는 뜻이거든요.

옛날에는 특정한 동물을 자기 부족의 신으로 모셨어요. 백마가 알을 가져왔다는 것은 백마를 신성하게 여기는 부족, 혹은 말을 잘 타는 **기마** 민족이 박혁거세를 앞세우고 진한으로 들어왔다는 것으로 볼 수 있어요.

고구려 동명성왕, 가야 김수로왕이 알에서 태어났다는 설화가 있어요. 알에서 태어난 이야기는 주로 우리나라 건국신화에 많이 나와요. 예부터 알의 모양이 둥글어서 사람들은 알을 태양처럼 생각했고, 태양은 곧 하늘이었지요. 알에서 나온 사람은 **하늘에서 온 사람**이라는 뜻으로 신성한 인물임을 나타낸답니다.